목차

쥐는…

얌전해.

정말
괜찮은 거
맞죠?

예?

바스락

괜찮아요?

…도로에 금이 갔네….

고마워~ 이 말만큼은 하고 싶어♪

찌르르찌르르찌르르찌르르찌르르 때—앰 찌르르찌르르찌르르 때—앰 찌르르찌르르찌르르찌르르 찌르르찌르르찌르르 찌르르찌르르찌르르 찌르르찌르르 때—앰

타케다가

안녕하세요….

여기, 모기 너무 많지 않슴까?

변함없이
후줄근해갖곤…

아, 일부러
이렇게
입은 겁니다.

「그 녀석들」,
지저분한
차림새로 있으면
더 잘
다가오거든요.

와하하핫!

크흠!

정색…

후…

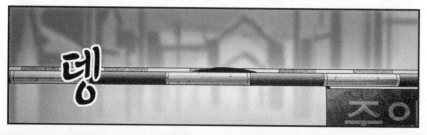

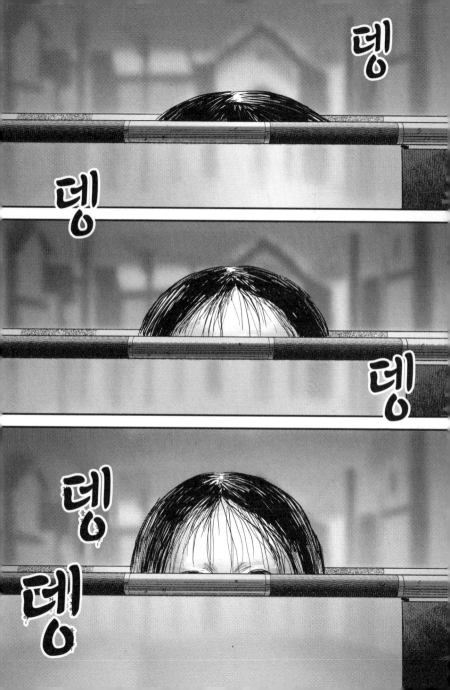

…가능하면 무턱대고 이런 짓 하고 싶진 않지만

이래 많이 늘어나면 어쩔 수 없지….

후우….

「섞인 것」···.

저쪽과
이쪽의
경계선에
접촉하는
존재라···.

제
12
화
끝

츠지나카,

덜컹

덜컹

개안캤나?

어?

내는
재미있어서
좋아하는데!

철학?

아~

그거
마스다가 준
프린트제?

그 쌤
그런 거
좋아
하드라~.

늪
남자...

너희들은
어떻게
생각하는데?

음...

다른
사람이라고
단언할 순
없지….

어찌 되든
좋지만~~

딴 사람
아이겠나.

그냥
그런
생각이
든다!

어째서?

그 녀석은
「히카루」?

다른
방식으로
보면

…사람은
뭘 보고
진짜로
죽었다고
하는 걸까.

이 녀석들
안에서
히카루는
「살아 있다」.

아!

그러고 보니
히카루한테
체육복
빌렸었는데.
돌려줘야겠다!

뭐?!

닌
남자한테
체육복
빌리나~?!

오~~.

느그들, 뭔 일 있나?

하하!

그럼 뒤에 태워 주께. 자전거 올릴 수 있겠나?

예.

미카사 아저씨!

아니, 자전거 바퀴가 펑크 나서….

아, 그리고 요전번에 카오루의 유카타 수선해 주신 것도요. 감사합니다.

동생이 무척 좋아했어요.

또 먼 일 있으면 말해라.

카즈미도 오랜만에 여자애 유카타를 수선해가꼬 즐거워 비드라.

오~ 그거 잘됐네!

네!

덜컹

드륵

덜컹

덜컹

기우뚱

덜컹

덥다~

시간은
거슬러
올라

며칠
전―

퐁당

하하.

딱히
괴롭히려고
그런 건
아임다.

이쪽이
「안심」
돼서요.

와
굳이
이 더운
날…

미카사네
집에
다 모인
기고?

후루ㅡ

글쎄요.

액을 막는
강력한 힘을
지니고
있어요.

하핫.

이걸
갖고 있으면
위험한 것들은
웬만해선
다가오지
못하죠.

잠깐.

…산의
부정함이
사라졌다고?

처음에
산의 부정함이
사라진 건
이것 때문이라고
생각했지만….

산 전체에
가득했던
부정함이
사라졌습니다.

다만
이것 때문이라고
하기에는
너무
광범위해서….

지금은
평범하게
들어갈 수
있어요.

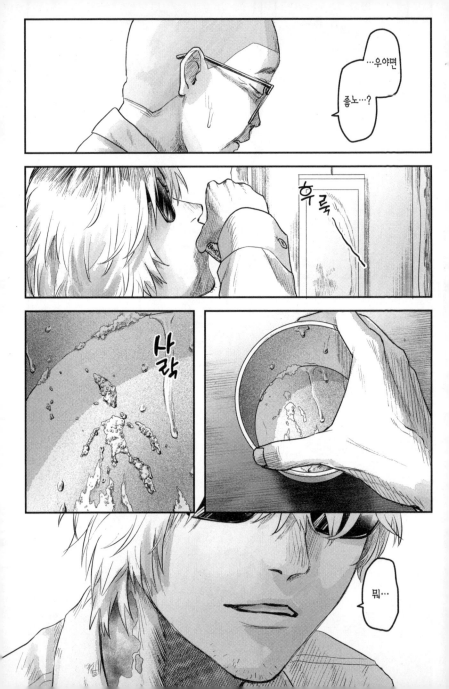

폽, 저는 영감(靈感) 같은 게 티끌도 없어서…

이런 방식을 쓰고 있는 검다….

회사가 추천하는 방법보다 압도적으로 강력하고요.

…그 자국도 그래서 생깃나?

가끔 침식하지만

문제 없슴다.

아아… 네.

일하다가 「뺏겼」슴다.

…….

오! 찾았다.

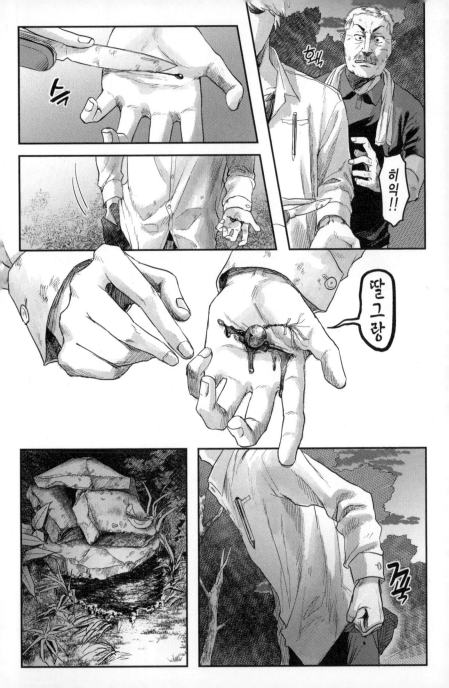

사진부엔 거의 유령 부원밖에 없어서….

오늘은 우연히 부탁받아서요.

테즈카 선생님.

오늘은 자습실이 아니네? 웬일로 동아리 활동을?

그렇나~. 작년 문화제 때 츠지나카가 출품한 사진, 좋았지~.

저기 교회 찍었던 거.

아… 감사합니다.

아~
그건
있제.

이런
시골에선
드문 일
아니에요?

그러고
보니
이 동네엔
교회가
몇 군데
있는데

…

찌르르
찌르르
찌르르
찌르
르르

아하
….

이 일대는
에도 시대 때
탄압받은
신도가
도망쳐 온
곳이거든.

그래서
오래된
교회가 있고,
지금도
활발하지.

아… 그래서
카메야마
아저씨네도….

찌르르
찌르르
찌르르

응?

근데 왜
여기서는
탄압받지
않은
건데요?

역사적으로
종교가
있었던
장소인 건
사실인데.

뭐라
드라,

영주가
간섭하기
어려운
땅이었다
던데….

그래서
그런가?

영주가
간섭하기
어려운 땅…

자고 간다고 다들 여기까지 오느라 힘들었겠네.

주말이고, 부모님이 차 태워 줘서 개안타!

그러게 ~.

히카루네 집 크다~.

긍가?

딸랑…

랑…

대마왕

「나시 전철」 할래?

요시키~, 내 방에서 게임 좀 찾아와 주라.

오키~.

울 엄마 거 써도 된다.

아, 히카루. 드라이어 있나?

쿵

자박
자박

변한 게
없네.

어디서
봤더라…

이 모자…

이때 일은
유독 선명히
기억난다.

아빠와는
말도 거의
안 하고
지냈지만

아, 맞다.
나시 전철…

하지만 난…
그런 어른은
되고 싶지
않다.

불꽃놀이
죽인다…
쩔어…
오오….

촛불
꺼졌나?

아!

꺼지려고
한다.

다들
여기 봐~.

불 좀
나눠
주라~!

아…
나도 갈래!

그래, 가자.

음~ 고민 중!

아 글고, 이번 여름 막바지에 짱 큰 불꽃축제 한다던데!

이 틈에 좀 정리해 둘까?

그렇다던데. 마키는 갈 거가?

흐응~.

그러자.

덥네.

…잠깐 쟤들 쫓아가서 아이스크림도 사 오라고 할게.

…

아니 근데,

안 덥나?!

저기,

히카루가
행방불명됐던 거,
저 산이가?

기억은 거의
안 나지만….

응.

맞다.

제
15
화

할머니,
저쪽에서
이상한 소리
나요.

저쪽 세계의
사람들은
무섭지만…

그저
나쁜 존재만
있는 건
아니라고
생각해.

그러니…
대화할 수
있어도
이상하지는
않을 터.

「당신은
대체

누구
인가요?」

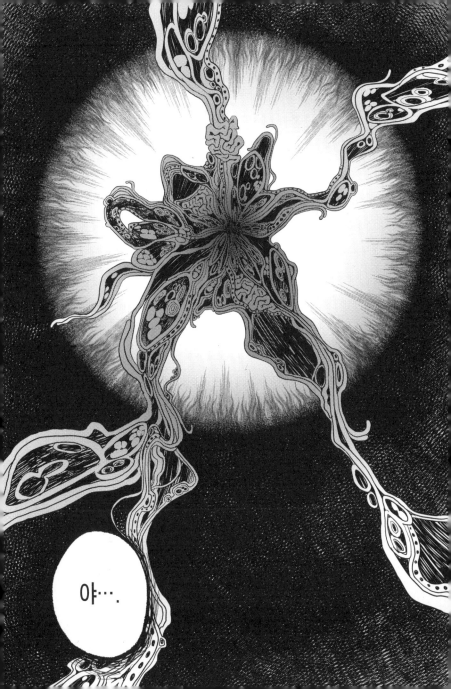

아사코!

야!!!

니...

뭐 한 건데...?

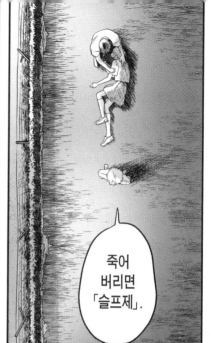

죽어
버리면
「슬프제」.

임마…

어?

사람의
목숨을
…

이렇게
…

어?

주,
니 지금,

니,

죽일라
했나?

그냥 형태가 바뀔 뿐이다이가.

죽은 것도 살아 있는 것도 내한테는 그게 그거다.

「죽는」건 딱히 무서운 기 아이다.

거짓말 이가…?

내는 죽이기 싫다 했으면서….

어째서 ….

뭐…?

니가
죽으면

같이
아이스크림
못
먹는다이가….

어…?

그건
아이다
….

니는…
니는

…특별
하니까.

니
생각은
모순
됐다…!

생명이 뭔지도
모르면서
뭐가 특별하다는
거고…!!

하,
그런…

그런
이유로?

그럼
아사코도
똑같잖아…!

…울 동네 할머니… 마츠우라 씨를 죽인 거,

니가?

…….

어…

우웨에에엣…

우욱…
우엑

읍.

…

우왓…
토….

제15회 끝

어느새…

기절해서….

어?

앗…!

아사코
….

히카루,
니
괜찮나?!

제
16
화

아, 그게.

귀,

귀신

들렸으니까….

으으~

이상하게
보지
말아 주라.

영적…인
존재의
목소리가
들린다고…

옛날
부터?

히카루가
돌아온 뒤로
가끔

목소리가
이상했거든.

그 위험한
녀석이
요시키를
지키는 것?
같아서

그런데

오히려
같이 있는 게
안전할 것
같을 때도
있었거든.

그래서

위험한 거에
씌었구나
싶었지….

그래서…
어쩌면

얘기가
통할지도
모른다는
생각에

히카루
속에 있는
「그 녀석」한테
말을
걸어 봤지….

세이프?

아이다….

믿을게.

잊어
주라….

둘 다
미안….

이런 소리
하는 거
완전 이상한
애잖아.

으으~~

...
고맙디.

빈혈이면
큰일이니까
먼저
돌아가.

응.

요시키
...

어서
온나.

어라?

요시키는?

뭐?!!
어째서?!

배탈
났나?!

아까 속이
안 좋은 것
같더라고…

그…
뭐냐…
집에
갔다….

귀뚤
귀뚤
귀뚤
귀뚤
귀뚤

귀뚤
귀뚤
귀뚤
귀뚤
귀뚤

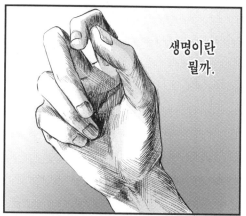

생명이란
뭘까.

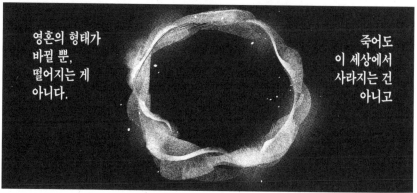

영혼의 형태가
바뀔 뿐,
떨어지는 게
아니다.

죽어도
이 세상에서
사라지는 건
아니고

태어나기도
죽기도 하지만
영혼은 딱히
사라지지 않고

쭉 곁에
있는데.

요시키의
영혼…

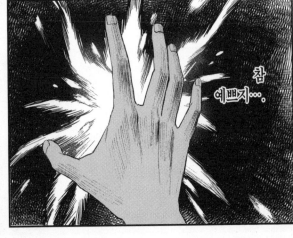

참
예쁘지….

하지만…
요시키가
죽는 건
싫다.

내 생각이가?
아니면
「히카루」의….

어째서고
….

정리가
안 된다…!

마음속이
엉망이라

찌르르 찌르르 찌르르

빨리
타라.

마키네
아저씨가
다들 태워
주신대.

덜컹

찌르르 찌르르 찌르르

아.

…요시키한테
몸조리
잘 하라고….

찌르르 찌르르 찌르르 찌르르

응.

낼
학교에서
보자~.

찌르르 찌르르 찌르르

…말해
둘게.

하아.

드르르르르르르르르르륵

히카루,
학교 가자.

짹
짹
짹

할끔

…아니,

화난 거 아니었나 싶어서. 저번 일로….

재미 없나?

딱히…

화 니, 안 났다.

이 영화 보고 싶어 했다이가.

봐라.

쉬지 않고 눈썹이 움직이데.

아… 눈썹 작화에만 이상하게 힘이 들어갔었제….

아까 본 영화 있제—. 주인공 눈썹 신경 쓰이지 않드나?

우리 학교 …야. 째도 되나?

무슨 영화가 그렇노.

하하.

눈썹에 너무 집중 했다이가.

눈썹 그리느라 힘 다 써서 작화 담당 죽은 거 아이가?

어?

앗, 어어!

우리는 평소에 출석 잘 하니까

하라쌤도 화 안 내겠지.

것보다 아이스크림 녹는디.

응...

훗.

아이스크림 죽었네.

앗!

학교 땡땡이쳐도 결국 너네 집으로 왔네….

뭐 어떤데.

카오루도 오늘은 엄마 직장에 따라갔으니까.

…있제.

째깍

째깍

째깍

째깍

열한 권
이나….

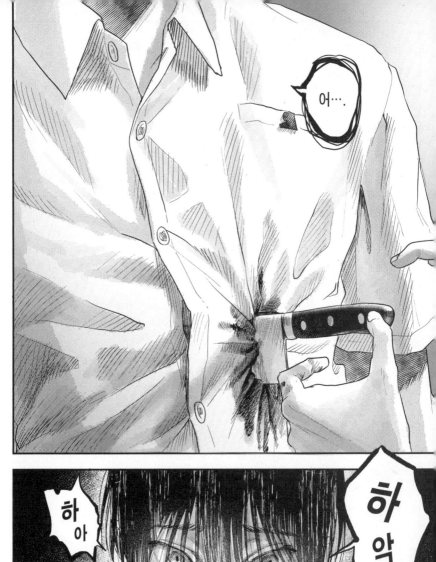

...윽.

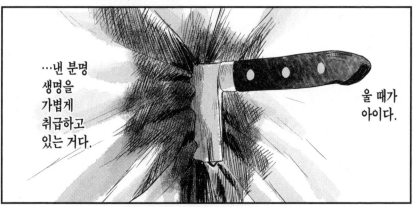

...난 분명 생명을 가볍게 취급하고 있는 거다.

울 때가 아이다.

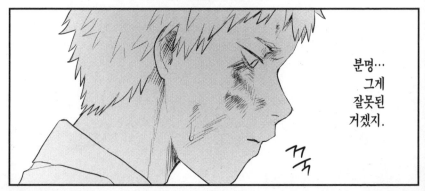

분명... 그게 잘못된 거겠지.

꾹

으…!

기다려 봐라.

…?!

니 뭐
하는데?

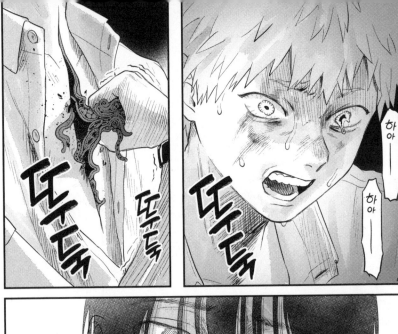

하아
—

하아
—

주륵...

주륵...

요시키.

뭔가 역할을 잃은 것 같았다….

하지만 막연하게 「있을 곳이 없다」는 감각만이 있어서….

…나는 내가 뭔지 잘 모른다.

이렇게 되기 전에는 감정조차 없었을 거다.

하지만 왠지 죽이기 싫었고…

…처음엔 있제, 니한테 들키면 죽이면 된다고 생각했거든.

결국 닌 내를 받아들여 줬잖아.

히카루, 잘 부탁하께.

알았다.

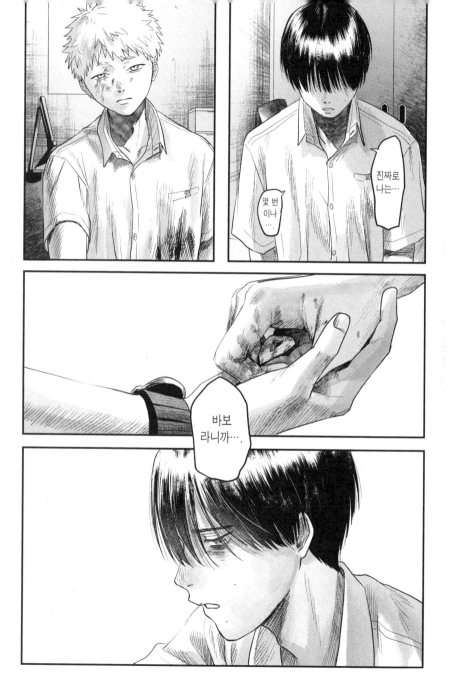

난 니랑
어디든
함께 할 거다.

설령 내 안의
무언가가
망가지더라도…。

니가
바라는 게
여기 있는
거라면…

……

여기
있으면
안 되는
존재일지도
모른다.

하지만…
넌

아무리 울적해도
밥은 잘 묵제—

…아사코,
무슨 일
있나?

오늘
늦잠 자서
머리가
엉망이래다.

맞다
….

내
곱슬머리를
얕보지 마!

진짜
엄청나니까!

그 모습이
더 이상하잖아….
완전 괴수
자○라네….

두

둥

내 말 맞제~?
매일 열심히
가라앉히고
있거든!

확실히,
엄청난
볼륨이네.

오오.

초등학생 때는
「아칸 호수」라고
불렸지만….

마리모.

비송 프리제
같아서
귀여운데.

요시키도,
유우도

찰랑찰랑
생머리라
부럽다.

부럽다아~.

히카루도 살짝
곱슬머리잖아.

마키도···
걔는
빡빡이니까
티
안 나지만.

둘 다
어떡하면
그래
찰랑찰랑
해지는데?

히카루만큼
짧으면
신경 안 써도
되잖아~.

자연
건조고…

일찍 자고
일찍
일어나기?

딱히
하는 건
없는데….

……

무정하네.

세상은….

진짜가?

다음에
엄마한테
물어볼게.
미용사니까.

머리 땋는 법 알려 드릴게요

손재주가 없는 게 아니라 대충 하는 거거든?

유우는 기본적으로 요리 말고는 손재주가 꽝인데…

웬일이야?

반해 버렸건 같다ー!

이까이 꺼 진심으로 하면

껌이지.

아사코랑 유우키?

사이 좋지.

뭘 실실 웃고 있노? 기분 나쁘게.

아니, 그냥.

저 둘이 보기 좋아서.

저·둘은 중학교부터 같이 다녔지만

부모끼린 친해서 소꿉친구인 거제?

어, 맞다.

......

요시키.

부럽네….

어…?

뭐
할라고?

니 머리로
땋는 거
연습할 거다.

잠깐
이리
온나.

어…

어…?

특별편 꿈

교가를 제창할 때
매우 작은 목소리로
노래한다

질문 코너

Q 요시키와 히카루의 이상형을 알려 주세요.

─요시키는 「존경할 점이 있는 사람」,
생전의 히카루는 「건강하고 가슴이 큰 사람」입니다.
바뀐 「히카루」에게는 그런 개념이 없기에 이상형이 뭔지 잘 모릅니다.

Q 히카루와 요시키가 아메리카에서 자주 주문하는 메뉴는 뭔가요?

─스파게티 류를 많이 주문합니다.
둘 다 아메리카에서 먹은 다음
집에서 평범하게 저녁밥도 먹습니다.

Q 히카루가 바뀌고 나서 머리카락이나 키, 손톱은 안 자라는 건가요?
앞으로 신체적 성장이 없다면 언젠가 다른 사람들이 알아차릴 텐데,
죽은 히카루가 할 수 없는 미지의 영역인 그런 부분을 모방할 수 있을지 궁금합니다.

―히카루가 바뀌고 나서도 머리카락과 키, 손톱은 자라고 있고,
신체적으로 성장은 합니다.
하지만 히카루가 살아서 그대로 성장한 모습과
바뀐「히카루」가 성장한 모습은 조금 다르지 않을까 합니다.

Q 왜 요시키는 다른 애들보다 나이가 많나요?

―요시키의 생일은 4월 20일,
히카루의 생일은 이듬해 3월 20일이라 일본에서는 같은 학년입니다.
거의 1년 차이가 나서 어릴 때는 요시키의 성장이 더 빨랐지만,
지금은 그렇지도 않습니다.

Q 요시키는 직접 나서서 친구를 사귀진 않을 것 같은데,
아사코나 다른 친구들과 함께 행동하게 된 계기를 알고 싶습니다.

—요시키, 히카루, 아사코, 유우키는 같은 중학교 출신이고,
그 중학교의 학생 수가 적은 편이었기에 자연스럽게 성별과 관계없이 친해졌습니다.
마키는 고등학교에 와서 생긴 친구인데,
히카루가 마키를 귀찮게 한 것을 계기로 함께 놀게 됐습니다.

Q 마키, 아사코, 유우키의 풀네임이 궁금합니다.

—마키 유우타, 야마기시 아사코, 타도코로 유우키입니다.

Q 히카루가 부모님을 부르는 호칭은 사투리인데,
왜 요시키는 표준어로 「엄마」, 「아빠」라고 하나요?

―둘 다 똑같은 마을에서 태어났지만,
요시키의 엄마는 도쿄 출신이라서 사투리를 쓰지 않기에 자연스레 그렇게 됐습니다.

Q 히카루는 오른손에 손목시계를 차고 있는데, 왼손잡이인가요?

―히카루는 오른손잡이지만 왼손잡이용 손목시계를 차고 있습니다.
이 손목시계는 아빠에게 받은 선물인데, 아빠가 덜렁거리는 성격이었기에
실수로 왼손잡이용 시계를 사 왔습니다.

Q 히카루와 요시키의 신발 사이즈를 알려 주세요.

―현재로서는 히카루가 260mm, 요시키가 275mm입니다.

Q 왜 히카루는 체내에 손을 넣으면 기분 좋아하나요?
그리고 기분이 좋다는 건 쾌락을 느끼는 것인지, 편안하다는 뜻인지 궁금합니다.

―사람은 본능적인 욕구가 충족될 때 쾌감을 얻는다고 개인적으로 생각합니다.
인간이 아닌「히카루」에게는 체내에 뭔가를 넣는 것이 본능적인 행동이라서 그렇습니다.
「히카루」가 인간과 가장 다른 것은 본능이므로,
그런 부분에서 인간은 이해할 수 없는 감각을 가지고 있습니다.

후기

3권을 구매해 주셔서 감사합니다.
다음 권부터 새로운 장이 시작되니
아무쪼록 잘 부탁드립니다!

어시스턴트

히라카와 사리나 님
노무 님
감사합니다!

다음 권 예고

히카루는

대체

무엇인가,

「노우누키 님」이 뭔지 아세요?

마주해야 할

때가

온다ㅡ.

히카루가 죽은 여름

4권에 계속

히카루가 죽은 여름 3

초판 1쇄 발행 2023년 12월 20일

작가_ Mokumokuren
옮긴이_ 송재희

발행인_ 최원영
편집장_ 김승신
편집진행_ 권세라 · 최혁수 · 김경민 · 최정민
커버디자인_ 양우연
내지디자인_ CMY그래픽
관리 · 영업_ 김민원

펴낸곳_ (주)디앤씨미디어
등록_ 2002년 4월 25일 제20-260호
주소_ 서울시 구로구 디지털로 26길 111 JnK디지털타워 503호
전화_ 02-333-2513(대표)
팩시밀리_ 02-333-2514
이메일_ lnovellove@naver.com
L노벨 공식 카페_ http://cafe.naver.com/lnovel11

HIKARU GA SHINDA NATSU Vol.3
ⓒMokumokuren 2023
First published in Japan in 2023 by KADOKAWA CORPORATION, Tokyo.
Korean translation rights arranged with KADOKAWA CORPORATION, Tokyo.

ISBN 979-11-278-7271-7 07830
ISBN 979-11-278-6778-2 (세트)

값 6,000원

살육의 천사 Episode.0 1~6권

사나다 마코토(星屑KRNKRN) 원작 | 나즈카 쿠단 만화

무대는 대니가 근무하는 형무소.
그곳에 어느 날 한 남자가 나타난다.
"당신은 텅 빈 눈을 하고 있군. 하늘의 계시라고 생각하고 들어봐.
내가 어째서 충족됨을 느끼고 있는지.
그건… 「신부님」과 만났기 때문이야."

**원작자 사나다 마코토의 신규 시나리오로 보내드리는,
「천사」들의 과거 이야기!**

고블린 슬레이어 1~14권

카규 쿠모 원작 | 쿠로세 코우스케 작화 | 칸나츠키 노보루 캐릭터 디자인

이제 막 모험가가 된 여신관은 첫 모험에서
약소 몬스터 고블린의 공격으로 생각지도 못한 위험에 빠진다.
그곳에 「고블린 슬레이어」라고 불리는
볼품없는 갑옷을 입은 남자가 나타났다.
남자는, 무자비할 정도로 담담하게 고블린을 사냥하기 시작했다……
고블린 퇴치에 사로잡힌 남자와 그를 둘러싼 소녀들의 활약을 그리는
인터넷의 대인기 다크 판타지를 충격적인 하이 퀄리티로 코미컬라이즈!!
원작자 카규 쿠모가 신규 작성한 SS도 수록!!

SL COMIC은 미디어믹스 전문 브랜드입니다.

역시 내 청춘 러브코메디는 잘못됐다. -망언록- 1~22권(완)

와타리 와타루 원작 | 카즈키 레치 작화 | 안수지 옮김

청춘이란 거짓이자 악이다.

외톨이 고등학생 히키가야 하치만은
미소녀 유키노와 「봉사부」로 활동하게 된다.
하지만 고고한 외톨이인 하치만에게
러브코메디 전개가 가능할 리 없었다……

**안타까운 청춘의 모습을 그려낸 대인기 라이트노벨
「역시 내 청춘 러브코메디는 잘못됐다.」의
애니메이션판 코미컬라이즈!!**

SL COMIC은 미디어믹스 전문 브랜드입니다.

마바라이 양은 나를 사냥하고 싶어 해 1~2권

토리이 마아 만화 | 김진아 옮김

수수께끼의 전학생 마바라이 양의 눈에 들어(?)
흡혈귀 퇴치를 돕게 된 나.
하지만 나에게는 그녀에게만큼은
절대로 들키면 안 되는 비밀이 있는데…….

《자칭·흡혈귀 헌터 가루》
×
《햇살을 피해 사는 흡혈귀 남자》의
이색적인 청춘 러브 코미디 개막!!

SL COMIC은 미디어믹스 전문 브랜드입니다.

두 사람이 만약 여자였다면

아사코보다 유우키가 더 섬세한가?

2권 특별편 후일담

이 쬐그만 게 크면 부모랑 똑같은 새가 되는 기가?

요시키랑 닮은 애가 늘어나나?

그럼 요시키가 결혼하면

와 그래 웃는데? 기분 나쁘게…

보고 싶네~

푸하하 하하!

특별판 한정
8p 소책자

히카루가 죽은 여름

3

SI
COMI
히카루가 죽은 여름 3
특별판 한정 특
©Mokumokuren 202
KADOKAWA CORPORATIO